CW00394542

la galère

Mini Syros Polar

Couverture illustrée
par Antonin Louchard

ISBN : 978-2-74-850553-5
© Syros/Alternatives, 1988
© Éditions La Découverte et Syros, 1998
© 2007, Éditions SYROS, Sejer,
25, avenue Pierre-de-Coubertin, 75013 Paris

Aubagne la galère

Hector Hugo

Si vous passez par Aubagne, promenez-vous avec ce Mini Polar à la main, comme ça si Jean-Val et moi on vous rencontre on vous fera visiter la ville.

Jean-Val, c'est mon copain.

On l'appelle Jean-Val parce que ça sonne bien, mais en réalité son prénom c'est Jean-Valéry. Ça fait riche mais ne vous y trompez pas, son prénom, c'est bien tout ce qu'il a de riche ; parce que, pour le reste, il n'a vraiment pas de chance et pour lui c'est la galère plus souvent qu'à son tour.

Il habite dans un HLM de la Cité verte. Mon père dit que la Cité verte, c'est un nom qui doit venir des moisissures qu'il y a sur les murs : forcément il n'y a pas de chauffage central. Jean-Val habite là avec sa petite sœur et sa mère. Son père, il paraît qu'il s'occupe de commerce et que c'est pour ça qu'il est toujours absent. Enfin, ça c'est la version pour tout le monde.

En plus, la mère de Jean-Val est sans travail depuis l'année dernière. Elle travaillait dans une boîte qui s'occupe d'ordinateurs, avec des jeux et tout. Et puis le patron leur a expliqué que je ne sais pas quoi, la crise et patati ; enfin bref, elle a été virée ; et pas moyen de retrouver quelque chose. Là je comprends pas ; parce que la mère de Jean-Val, elle sait en faire des trucs : vous verriez comment elle tape à la machine, c'est pas croyable la vitesse. Mais c'est peut-être à cause de ça : peut-être qu'elle tape trop vite et que son patron, ça le fatiguait d'être obligé de parler très rapidement.

En tout cas, sans boulot, c'est pas drôle pour eux. C'est pour ça qu'ils sont partis à la Cité verte, parce que c'est moins cher. Et ça fait que Jean-Val ne peut pas aller au club de patins à roulettes avec moi, ni au judo. J'aurais bien voulu pourtant car il est drôlement fort et on s'amuse très bien parce qu'il invente toujours des trucs délirants. Ça se voit pas beaucoup qu'ils sont pauvres chez lui. Simplement, il n'a pas des boîtes avec des feutres de toutes les couleurs et il fait attention à ne pas perdre son stylo bille tout le temps (ma mère, moi, elle me les achète par six). Mais il a quand même une chouette gomme avec un grenadier dessiné dessus (il ne s'en sert pas, c'est un souvenir).

Au début, j'étais triste pour lui qu'il soit pauvre. Alors une fois j'avais fait

exprès d'oublier mon stylo à quatre couleurs dans ses affaires ; le lendemain, à
la récré, il m'appelle dans un coin, il me
redonne le stylo sans rien dire et, vlan !
il me met une grande claque : on s'est
drôlement bagarrés. Depuis ce jour-là on
est inséparables et la maîtresse nous
met toujours l'un à côté de l'autre.

Alors, puisqu'on est copains, il aurait
pu me prévenir de ce qu'il allait faire,
non ? Je lui aurais donné un coup de
main. Mais non, monsieur a le caractère
trop fier : pas question de me mouiller là-
dedans... J'y ai quand même été, mouillé,
remarquez. Mais par hasard.

C'était un lundi ; j'attendais le bus place de la gare pour aller à mon club de patin ; il ne faisait pas très clair car on était en novembre.

Sur le trottoir d'en face, je vois passer Jean-Val ; il avait un drôle d'air en marchant, il regardait la pâtisserie « La Petite Madeleine » : c'est une pâtisserie où l'on vend des glaces énormes et surtout des croissants chauds à la myrtille. C'est fameux. C'est aussi fameusement cher.

Et puis Jean-Val revient sur ses pas et, avant que j'aie eu le temps de lui faire signe, il entre dans la boutique. Tout en surveillant si mon bus n'arrivait pas, je me prépare à traverser, mais le voilà qui ressort en courant avec un petit paquet dans les mains et aussitôt on entend crier : « Au voleur, au voleur, arrêtez-le. » Et monsieur Thénardier sort en courant derrière Jean-Val. Monsieur Thénardier, c'est le pâtissier ; madame Thénardier, elle n'est pas très sympathique mais son mari c'est encore pire, il a vraiment une tête de faux-jeton. En plus ils ont deux filles avec des noms impossibles à retenir et qui s'y croient drôlement. Il courait tout rouge, en hurlant ; mais Jean-Val avait de l'avance et en plus il est plutôt rapide : le pâtissier n'avait pas beaucoup de chances de le rattraper. Les gens s'étaient arrêtés sur le trottoir car Thénardier zigzaguait un peu comme s'il allait tomber ; devant, Jean-Val filait bon train entre les voitures garées et les parcomètres, là où il n'y a personne, sans lâcher son paquet.

Et puis ça a été le drame : il arrivait à côté d'une grosse voiture noire – un taxi « Javert », il n'y a qu'eux à Aubagne – et j'ai tout vu : le chauffeur de taxi a fait exprès d'ouvrir sa portière de toutes ses forces, Jean-Val l'a reçue en pleine figure, il a crié et est tombé en arrière en se cognant sur un parcomètre ; il ne bougeait plus, le bras droit coincé sous lui.

Je me suis mis à courir. J'ai écarté les gens qui s'étaient amassés autour de lui : il avait du sang qui coulait sur la figure.

Thénardier répétait comme un fou :

– C'est bien fait, petite crapule, c'est bien fait.

Le chauffeur de taxi, c'était encore plus terrible, disait d'une voix froide :

– Il ira en prison, c'est la loi.

J'aurais voulu les assommer. J'étais à genoux à côté de Jean-Val. J'ai voulu l'aider à se relever mais quelqu'un a dit :

– Non, ne le bougez pas, on ne sait jamais, ça peut être grave.

Là, ça a été plus fort que moi, je me suis mis à pleurer.

Et puis l'ambulance est arrivée, en même temps que la police. Jean-Val a ouvert les yeux et, me voyant, il a fait une grimace mais je n'avais pas envie de rire. Le médecin a dit que le sang c'était seulement une arcade sourcilière ouverte mais que par contre il avait sûrement le bras cassé et peut-être l'épaule, qu'il fallait aller aux urgences.

J'ai regardé l'ambulance descendre la rue des Feuillantines aussi longtemps que j'ai pu voir la lumière bleue ; puis elle a tourné vers l'hôpital. Tous les gens étaient partis, j'étais tout seul sur le trottoir. Trop tard pour le patin évidemment, de toute façon j'avais envie de rien. Il restait seulement au pied du parcomètre un petit paquet complètement écrasé, à moitié ouvert : deux croissants à la myrtille. Immangeables. J'ai donné un coup de pied dedans, direction la vitrine des Thénardier et je suis rentré à la maison.

L e lendemain matin, je ne suis pas allé à l'école car j'avais fait des cauchemars toute la nuit. L'après-midi, je suis allé à l'hôpital voir Jean-Val.

Sa mère était là, elle avait les yeux tout rouges ; je l'ai embrassée et j'ai dit bonjour à Jean-Val, en faisant attention car il avait tout le bras droit dans le plâtre. Il était plutôt pâle. Sa mère a dit :

– Il faut que je m'en aille, je vais être en retard pour pointer à l'agence ; je reviendrai en fin de journée.

On est restés tous les deux et il m'a expliqué : les croissants à la myrtille, c'était pour faire une surprise à sa mère pour sa fête : elle s'appelle Fantine et c'est un prénom qui n'est pas dans le calendrier des PTT alors personne n'y pense jamais et lui, il la fête quand elle ne s'y attend pas. Les croissants à la myrtille, ça faisait longtemps qu'il voulait lui en ramener mais vraiment, à acheter, ils sont trop chers. Il avait l'air assez abattu alors je n'ai pas osé le disputer de ne m'avoir rien dit. Il a ajouté qu'avec une histoire comme ça, dans Aubagne, ça allait être impossible pour sa mère de trouver du travail car les Thénardier ont déposé une plainte à la police : tout le monde va le savoir et en plus sa mère va avoir des amendes à payer à cause de lui.

En rentrant j'ai croisé des copains de la classe. Ils venaient aux nouvelles. Et c'était pour la plainte à la police : ils le savaient par mademoiselle Myriel. C'est notre institutrice : c'est la plus gentille qu'on ait jamais eue, elle a une de ces patiences, tout le monde l'adore. On était tous en rogne : peut-être que ce n'était pas très bien de voler deux croissants, mais un bras cassé c'était déjà une sacrée punition, et en plus, Jean-Val était vraiment malheureux, alors faire une pareille histoire pour deux croissants, c'était beaucoup, et la plainte à la police là c'était franchement dégueulasse. On a cherché ce qu'on pouvait faire. Gervais voulait qu'on décide de ne plus rien acheter chez les Thénardier, une grève des croissants en quelque sorte, pour les faire changer d'avis mais Malika dont le frère a été apprenti l'an dernier chez les Thénardier lui a dit que ça ne se verrait même pas tellement ils vendent de gâteaux par jour.

On a conclu qu'il n'y avait que mademoiselle Myriel qui pouvait faire quelque chose.

Le lendemain, mercredi, il n'y a pas d'école donc on est allés chez elle : on avait prévenu tous les autres de la classe ; elle était un peu surprise de nous voir mais on lui a expliqué. Elle a dit : « J'y vais mais ça va être dur. » On l'a suivie de loin et on est restés derrière le kiosque à journaux pendant qu'elle rentrait dans la pâtisserie. On n'a pas attendu longtemps : au bout de deux minutes, il y a eu des éclats de voix et elle est ressortie un peu pâle. Thénardier sur le trottoir lui criait : « Gamin ou pas, c'est un voleur et avec une institutrice comme vous ce n'est pas étonnant. Elle est belle la jeunesse... » Mademoiselle Myriel est arrivée près de nous. L'autre criait toujours. Elle avait les lèvres très serrées. Je ne l'avais jamais vue comme cela. Elle a dit :

– Quel sale bonhomme. Allez, on s'en va.

On s'est retrouvés dans le square et on s'est mis dans un coin discret en faisant attention que le père Fauchelevent, le gardien, ne passe pas trop près. Comment obliger les Thénardier à retirer cette maudite plainte ? Comment les faire craquer ? « Craquer », c'est ce mot-là qui nous a donné des idées et de fil en aiguille ça a fini par faire un bon plan. Ça a été un peu dur pour se mettre d'accord parce que tout le monde voulait tout faire, mais on y est arrivés. Quand tout a été au point, on a tous juré de garder le secret et que ce serait « la victoire ou la mort » comme dans le feuilleton à la télé. Et on est passés à l'action.

C'est Marie et Claire qui ont commencé : elles connaissent bien les croissants à la myrtille de « La Petite Madeleine » car elles en achètent régulièrement. Elles sont entrées dans la pâtisserie.

Il n'y avait qu'une vieille dame en train de choisir des gâteaux à l'autre bout du magasin. Tout doucement Marie a dit à Thénardier :

– Nous sommes des amies de Jean-Val.

Elle tenait très fort la main de Claire. Et puis avant que l'autre ait eu le temps de réagir, elle a ajouté d'une voix normale :

– Je voudrais un croissant.

Thénardier faisait une tête très malaimable. Marie a donné sa pièce et a mordu une grosse bouchée de croissant. L'autre a rendu la monnaie en disant d'une grosse voix :

« Allez, filez ! » Si bien que la vieille dame, surprise, s'est retournée. À ce moment Marie a laissé tomber son croissant qui s'est ouvert en deux en mettant plein de myrtille par terre. Elle a fait un petit hoquet (Marie, elle fait ça super bien). Thénardier a fait le tour de son comptoir en grondant :

– Espèce de dégoûtante !

Mais là, Marie a craché ce qu'elle avait de myrtille dans la bouche en disant :

– Il est complètement moisi ce croissant !

En faisant semblant d'être malade, elle a marché sur le croissant tombé par terre. Il y en avait partout. Thénardier a crié :

– Fichez-moi le camp !

Mais la vieille dame d'une voix très douce lui a dit :

– Monsieur, vous ne voyez pas que cette enfant est malade ? Il faut lui parler autrement. Surtout si vos croissants en sont la cause.

Elle a essuyé la bouche de Marie et elle l'a emmenée en la consolant. Claire suivait derrière en disant :

– Je ne viendrai plus ici. Les croissants sont moisis.

Thénardier a encore crié :

– C'est ça, bon débarras !

Et ça n'a pas fait plaisir à la vieille dame. Marie et Claire nous ont rejoints au jardin. Elles étaient très fières : cracher un croissant à la myrtille, il faut le faire. On a attendu un peu et puis on a envoyé Gervais et Nicolas. Il a fallu qu'ils patientent parce que madame Drouet n'avait pas encore pris son service. Madame Drouet est agent de police avec un bel uniforme et elle se promène pour mettre des contraventions aux voitures. Mais elle est gentille. On la connaît car elle fait la circulation à la sortie de l'école. Quand Gervais et Nicolas ont vu qu'elle arrivait et qu'elle commençait à marcher lentement le long des parcomètres, ils sont allés à la pâtisserie. Gervais a commencé à fureter du côté des bocaux de chewing-gums. Aussitôt Thénardier a rappliqué pour le surveiller. Pendant ce temps, Nicolas a posé sur le comptoir une pièce de deux francs sur laquelle il avait mis un petit peu de carambar. Gervais a fini par choisir un chewing-gum qui coûtait un franc et il a donné une pièce à Thénardier qui l'a prise en grommelant :

– Je ne sais pas ce que vous complotez tous les deux mais vous avez une drôle de tête.

Nicolas lui a répondu :

– Rien, rien. On est des amis de Jean-Val.

Et ils sont sortis avant que l'autre ait le temps de répondre. Ils sont restés sur le trottoir devant la boutique. Et Gervais s'est concentré très fort pour se mettre à pleurer. Il fallait faire vite car madame Drouet n'était plus très loin. Mais Gervais, il sait pleurer à volonté : sans bruit, ça fait des larmes qui coulent lentement le long de ses joues. Il était comme ça, la tête baissée, quand madame Drouet est arrivée à sa hauteur. Elle a dit :

– Qu'est-ce qu'il y a mon petit ? Tu es perdu ?

Gervais a fait non avec sa tête et Nicolas a fait pareil.

– Qu'est-ce qu'il y a alors ?

– C'est à cause de sa pièce, a dit Nicolas.

– Tu as perdu ta pièce ? a demandé madame Drouet.

Gervais a secoué la tête en pleurant encore plus. Nicolas a expliqué :

– C'est sa pièce de deux francs. Il a acheté un chewing-gum à un franc et monsieur Thénardier ne veut pas lui rendre la monnaie.

Madame Drouet a eu l'air surpris :

– On va voir ça, ça doit être une erreur.

Elle est entrée avec Gervais et Nicolas derrière elle. En les voyant, Thénardier a pris sa tête de bouledogue :

– Qu'est-ce qu'ils ont encore fait ces petits voyous ?

D'un ton sec madame Drouet a dit :

– Ce ne sont pas des petits voyous. Il paraît qu'il y a un problème de monnaie. Vous devez un franc à cet enfant !

– Rien du tout, a rugi Thénardier, pas un centime. Débarrassez le plancher !

– Ma pièce, a dit Gervais en montrant du doigt la pièce de deux francs avec du carambar, qui n'avait pas bougé de sur le comptoir.

Thénardier a écarquillé les yeux :

– Qu'est-ce que c'est que ça ?

– On dirait une pièce maniée par un enfant ayant mangé du carambar, a dit madame Drouet d'un air pincé. Rendez-lui donc sa monnaie.

– Qu'il reprenne sa pièce, il m'a déjà payé, a repris Thénardier qui n'y comprenait rien.

– Non, je paye mon chewing-gum mais il faut qu'il me rende ma monnaie, a dit Gervais en s'essuyant les yeux avec une main pleine de carambar.

– C'est normal, a dit madame Drouet.

Thénardier, abasourdi, a fini par sortir une pièce de un franc. Madame Drouet l'a prise en disant :

– Vous avez de drôles de façons de faire avec les enfants.

Elle l'a donnée à Gervais en ajoutant :

– Voilà. Et s'il y a des problèmes, n'hésitez pas à faire appel à moi.

Et ils sont sortis tous les trois en laissant Thénardier au bord de l'apoplexie.

Après ça il a fallu attendre un bon moment qu'il soit six heures et demie, quand il y a beaucoup de clients qui viennent à la sortie de leur travail. On avait réservé notre carte maîtresse pour cette heure-là. Notre carte maîtresse, c'est Léopoldine. C'est une terreur Léopoldine. Elle n'est pas très grande. Elle sourit très gentiment. Elle a l'air très doux et sait faire des phrases compliquées. Mais surtout elle n'a peur de rien ; rien ne la démonte ; à chaque rentrée il y a toujours un nouveau pour vouloir l'embêter car elle n'est pas très costaud. Et ça se passe toujours pareil. Plus le garçon l'asticote et plus Léopoldine répond avec des phrases tranquilles et elle parle de plus en plus fort mais sans s'énerver et sans dire de gros mots et avec tellement d'assurance que l'autre finit toujours par se dire qu'elle doit faire du karaté ou quelque chose comme ça pour le prendre sur ce ton, et il finit par s'en aller piteux sous l'œil des maîtresses qui surveillent mine de rien et s'amusent bien. C'est un cas Léopoldine.

Quand Léopoldine est entrée, il y avait bien vingt-cinq personnes dans le magasin. Elle a fait le tour du comptoir. Elle est arrivée tout près de Thénardier et doucement en le regardant droit dans les yeux, elle lui a dit :

– Je suis une amie de Jean-Val et vous êtes un beau dégueulasse.

Thénardier a hésité une seconde puis il a éclaté : « Dis donc, petite conne ! », en levant la main pour la gifler.

Il s'est fait un grand silence dans la boutique et Léopoldine d'un air réprobateur a dit :

– Oh, monsieur Thénardier, est-ce qu'on parle comme ça ?

– Mais elle se fout de moi, a crié Thénardier.

Le silence s'est fait encore plus pesant. Tous les clients fixaient le pâtissier hors de lui.

– Arrêtez de me regarder tous comme ça, d'abord. Ils vont me rendre fou ces gosses.

– Ne vous énervez pas, monsieur Thénardier, a fait Léopoldine très digne, je m'en vais.

Et elle est sortie et tous les clients sont sortis à sa suite, outrés, laissant le pâtissier irascible seul dans sa boutique. Nous, on n'était pas loin pour prêter main-forte à Léopoldine, et c'est là qu'on a vu mademoiselle Myriel entrer à son tour. Ça, ça n'était pas prévu. Elle a dit à Thénardier :

– Vous devriez retirer votre plainte.

– Pourquoi ?

– Parce que je vais ce soir chez mon cousin.

– Et qui est votre cousin ?

– C'est monsieur Enjolras, le contrôleur du fisc, celui qui s'occupe des employeurs qui prennent des apprentis sans les déclarer.

Thénardier a ouvert la bouche mais ça a juste fait un grondement et il a fini par dire :

– Des démons, ce sont des démons et vous encore pire. C'est bon, je vais retirer cette plainte. J'en ai marre.

– Ah, comme c'est bien monsieur Thénardier !

Et mademoiselle Myriel, avant qu'il ait compris, lui a pris la main et l'a serrée. Thénardier est tombé assis sur sa chaise comme si ça achevait de le déboussoler et nous, nous sommes partis. Le lendemain à l'école on était encore très excités, mais quand même très contents. Nicolas qui était à côté de moi m'a dit :

– S'il avait maintenu sa plainte, ça aurait été assez dégueu.

Mais la maîtresse a entendu. Elle a demandé :

– Qui est-ce qui vient de dire dégueu ?

Et avant qu'on ait le temps de répondre, elle a dit :

– Punition. Vous êtes vingt-cinq. Vous me copierez vingt-cinq fois : je ne dois pas prononcer les mots à moitié. Ça fait une fois chacun.

Alors je lui ai fait remarquer :

– On n'est que vingt-quatre. Jean-Val n'est pas encore rentré.

– Ça ne fait rien, a dit mademoiselle Myriel, il écrira ça aussi quand il reviendra.

Et elle avait son air sérieux. Sauf le coin des yeux un peu plissé.

Du même auteur

Aux éditions Syros :

Lambada pour l'enfer, « Souris noire », 1992, 2013

Chez d'autres éditeurs :

Le Bûcher d'Héraclès, « Histoires noires de la mythologie », Nathan, 2006

Hector, le bouclier de Troie, « Histoires noires de la mythologie », Nathan, 2005

La Rage au cœur, Hachette/Livre de poche Jeunesse, 2002

Toute la vérité sur la disparition des dinosaures, illustré par Véronique Deiss, Casterman, 1999

Le Dernier Voyage du Mohican, « Chat noir », éditions Bertout, 1990

L'auteur

Jean-Paul Hébert, alias Hector Hugo, est né en 1946 à Fécamp. Il a passé sa jeunesse face à la mer, sur les falaises du pays de Caux. Après des études de philosophie et de sciences économiques, il est devenu économiste et chercheur. Grand militant des droits de l'homme, il a écrit de nombreux ouvrages pour les adultes sur la paix et la guerre. Il est décédé en 2010.

Dans la collection
« Mini Syros Polar »

Qui a volé la main de Charles Perrault ?
Claudine Aubrun

Avec de l'ail et du beurre
Claire Cantais

Crime caramels
Jean-Loup Craipeau

Le Chat de Tigali
Didier Daeninckx
(Sélectionné par le ministère de l'Éducation nationale)

Cœur de pierre
Philippe Dorin

Aubagne la galère
Hector Hugo

On a volé le Nkoro-Nkoro
Thierry Jonquet

Pas de pitié pour les poupées B.
Thierry Lenain

Armand dur à cuire !
Olivier Mau

Armand et le commissaire Magret
Olivier Mau

Armand chez les Passimpas
Olivier Mau

J'ai tué mon prof!
Patrick Mosconi

Aller chercher Mehdi à 14 heures
Jean-Hugues Oppel

Chacun voit Mehdi à sa porte
Jean-Hugues Oppel

Trois fêlés et un pendu
Jean-Hugues Oppel

Qui a tué Minou-Bonbon ?
Joseph Périgot
(Sélectionné par le ministère de l'Éducation nationale)

On a volé mon vélo !
Éric Simard

Pas de whisky pour Méphisto
Paul Thiès
(Sélectionné par le ministère de l'Éducation nationale)

Les Doigts rouges
Marc Villard
(Sur la précédente liste du ministère de l'Éducation nationale)

Menaces dans la nuit
Marc Villard

Loi n° 49-956 du 16 juillet 1949
sur les publications destinées à la jeunesse,
modifiée par la loi n° 2011-525 du 17 mai 2011.

Mise en pages : DV Arts Graphiques à La Rochelle.
N° d'éditeur : 10223933 – Dépôt légal : juillet 2013
Achevé d'imprimer en avril 2016
par Clerc (18200, Saint-Amand-Montrond, France).
N° d'impression : 14312